Llyfr 15

Bwyd

Mae Sam eisiau bwyd.

Mae bol Sam yn wag.

Mae Sam yn mynd i'r gegin.

"Mam, mam, ble mae mam?"

Dyma mam.

"Mam, mam, rydw i eisiau bwyd."

Mae mam yn gwneud bwyd i Sam.

"Iym, iym, tatws a sosej" meddai Sam.

"Iym, iym, tatws a sosej."

"Mam, mam ga i ham rŵan plîs?"

"Cei siŵr," meddai mam.

"Mam, mam ga i frechdan rŵan plîs?"

"Cei siŵr," meddai mam.

"Mam, mam ga i jam ar y frechdan?"

"Cei siŵr," meddai mam.

"Iym, iym."

Mae Sam yn hoffi brechdan jam.

"Mam, mam ga i afal rŵan plîs?"

"Cei siŵr, dyma afal mawr gwyrdd i ti," meddai mam.

"Mam, mam ga i bop coch plîs?"

"Cei siŵr, cei siŵr," meddai mam.

"Mam, mam ga i deisen siocled?"

"Cei siŵr."

"O, diolch mam, diolch," meddai Sam.

"Sam, wyt ti eisiau teisen siocled eto?"

"Eto!
Na, dim diolch
mam. Rydw i yn
teimlo'n sâl!"

Mae bol Sam
yn llawn iawn.

Geirfa 15
Vocabulary 15

The following words and phrases are to help non-Welsh speakers to understand what is written in the text.

Some Welsh words/phrases can have different meanings depending on the context.

We suggest, therefore, that care should be taken when using these translations with other books or stories.